でも、
いたずらっ子《こ》の
ピノキオ《ぴのきお》は
すぐに
おもてに　とび出《だ》しました。
「まちなさい、ピノキオ《ぴのきお》！」
ピノキオ《ぴのきお》は　町《まち》かどで　おまわりさ
んに　ドシン《どしん》！　やっと　ゼペット《ぜぺっと》じ
いさんが　おいつきます。

「あっかん
べー！」
それでも
子《こ》どもの
いない ゼペット《ぜぺっと》じいさんは
うれしくて たまりません。
『ピノキ《ぴのき》
オ《お》』と 名《な》まえを つけました。
「おまえは、 きょうから わしの む
すこだ。 いい 子《こ》に なるんだよ。」

こっそり　いえに　かえった　ピノキオ《ぴのきお》に、コオロギ《こおろぎ》が　いいました。

「いう　ことを　きかない　子《こ》は、立《りっ》ぱな　人《ひと》に　なれないよ。」

ピノキオ《ぴのきお》は　おこって　コオロギ《こおろぎ》を　けとばしました。

まどの
すきま
から、
つめたい
かぜが　ふきこんで　きます。
ピノキオ《ぴのきお》は　火《ひ》ばちに　足《あし》を　のせ、
ねむって　しまいました。ジリジリ《じりじり》…。
足《あし》が　やけて　います。やがて、ゼペ《ぜぺ》
ット《っと》じいさんが　かえって　きました。

立《た》ち
上《あ》がった
ピノキオ《ぴのきお》は
すってんころり。
「わあん！　足《あし》を　つくって！
おなかも　ぺこぺこだよう！」
「よしよし。」
ピノキオ《ぴのきお》は　ゼペット《ぜぺっと》じいさんの　ぶ
んまで　パン《ぱん》を　たべて　しまいました。

足《あし》を
つくって
もらった
ピ《ぴ》ノ《の》キ《き》オ《お》は
げん気《き》いっぱいです。
「あしたから　学校《がっこう》へ　いくんだよ。」
やさしい　ゼ《ぜ》ペ《ぺ》ッ《っ》ト《と》じいさんは、一《いっ》
ちゃくしか　ない　上《うわ》ぎを　うって、
A《えー》B《びー》C《しー》の　本《ほん》を　かって　きました。

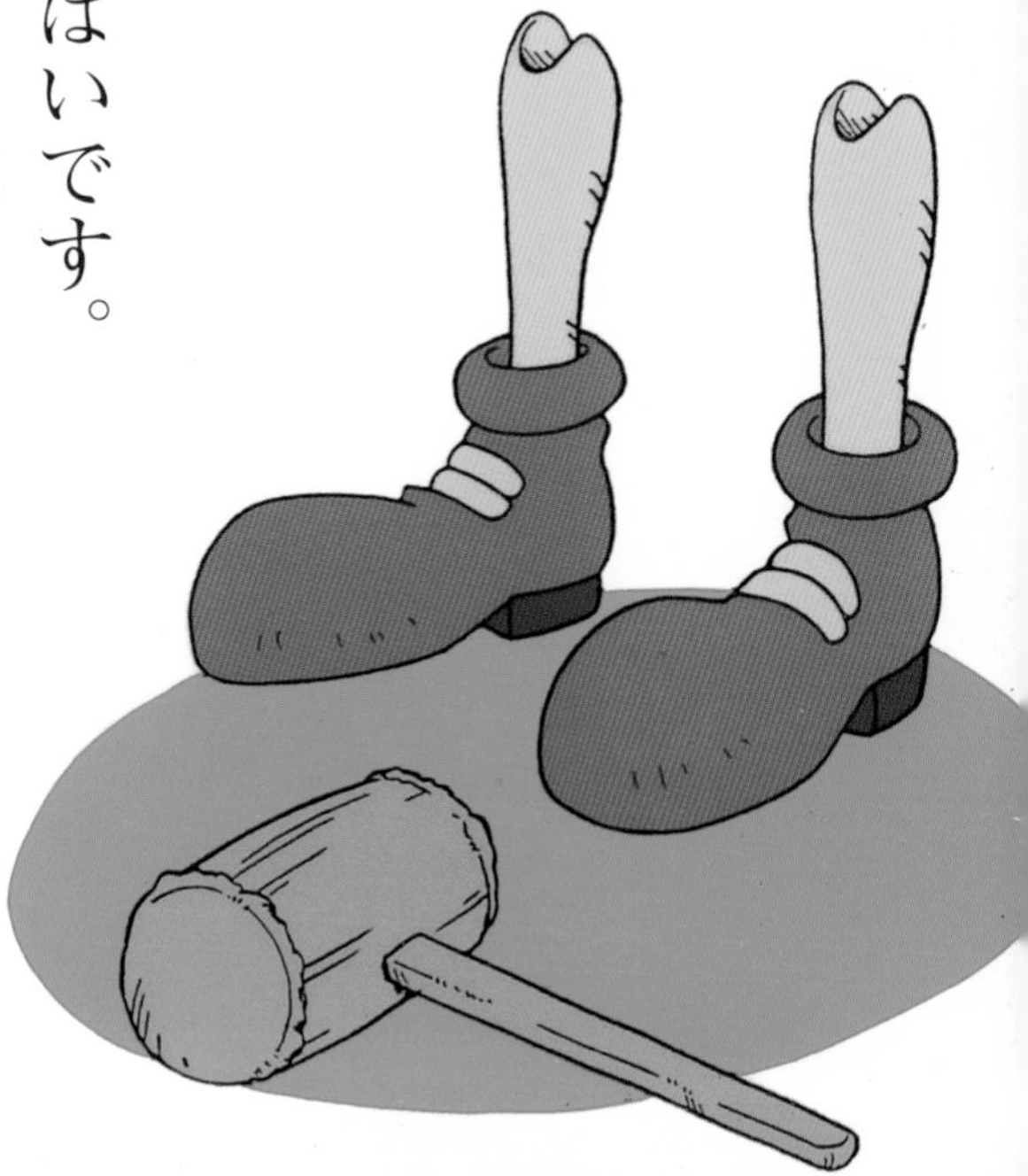

MARIONETTE
SHOW

ピノキオ《ぴのきお》を 見《み》て、ぶたいの 人《にん》ぎょうたちは 大《おお》よろこび。ピノキオ《ぴのきお》も おどり出《だ》します。
げきは めちゃくちゃです。おやかたは おこって、ピノキオ《ぴのきお》を つかまえました。

こわい
かおを
した
おやかたは、
本《ほん》とうは　やさしい　人《ひと》でした。
ピノキオ《ぴのきお》から、ゼペット《ぜぺっと》じいさんが
本《ほん》を　かう　ために　上《うわ》ぎを　うった
と　きいて、かんしんして　います。
「なんて　立《りっ》ぱな　人《ひと》だろう。」

「これを
おとうさんに
あげなさい。」
おやかたは
ピノキオ《ぴのきお》に　金《きん》かを　五《ご》まい
くれました。いえに　むかう　みちば
たに、あの　コオロギ《こおろぎ》が　いました。
「うそつきに　気《き》を　つけるんだよ。」
「あっちへ　いけ。うるさいぞ。」

でも
コオロギ《こおろぎ》が
いった
とおり、
きつねと　ねこが　ピノキオ《ぴのきお》を
だまそうと　まちぶせして　いたのです。
「金《きん》かを　土《つち》に　うめて、ひるねを
して　いれば、金《きん》かの　木《き》に　なるよ。」
「わあ！　金《きん》かを　うめるよ！」

ピノキオ《ぴのきお》が目《め》をさますと、金《きん》かはきつねと　ねこに　ぬすまれたあとでした。ないて　いる　ピノキオ《ぴのきお》のまえに　天女《てんにょ》さまが　あらわれました。

「本《ほん》を　かう　お金《かね》を　とられたの。」

ピノキオ《ぴのきお》は　うそを　つきました。

すると、
ピノキオ《ぴのきお》の
はなが
どんどん
どんどん　のびて　いきます。
「うそを　つくなんて　わるい　子《こ》ね。」
「ごめんなさい。もう　つきません。」
天女《てんにょ》さまが　きつつきに　けずらせて、やっと　はなは　もとどおり。

みちに
まよった
ピノキオ《ぴのきお》は、
はたらきものの
くにへ　つきました。
おなかは　ぺこぺこ。とおりかかった
女《おんな》の人《ひと》に　たべものを　ねだりました。
「お花《はな》に　水《みず》を　やって　くれたら、
ケーキ《けーき》を　あげましょう。」

「いやだよ。
水《みず》に
ぬれるもの。」
「それなら、
はらぺこの ままで いなさい。」
ピノキオ《ぴのきお》は いやいや 水《みず》を やり
ました。でも、その あとの ケーキ《けーき》
の おいしかった こと！ 水《みず》を も
らって、花《はな》も うれしそうです。

「これからは いい 子《こ》に なろう！」

げん気《き》に あるいて いくと、ひろばに あそびの くにへ いく ば車《しゃ》が とまって います。ピノキオ《ぴのきお》は 子《こ》どもたちと いっしょに、ば車《しゃ》に のって しまいました。

あそびの
くにでは、
だれも
しかったり
しません。ピノキオ《ぴのきお》は　おかしを
たべて、あそんで　ばかり。ある日《ひ》、
かがみを　見《み》て　びっくり。ロバ《ろば》の
耳《みみ》が　はえて　いたのです。ほかの　子《こ》
も　みんな　ロバ《ろば》に　なって　いました。

ロバ《ろば》に
なった
ピノキオ《ぴのきお》は
サーカス《さーかす》で
はたらかされました。

でも 玉《たま》のりに しっぱいして、うみ
に すてられて しまったのです。
ロバ《ろば》の かわが はがれた とき、
大《おお》きな サメ《さめ》が ピノキオ《ぴのきお》を ぱくり！

サメ《さめ》の
おなかの　中《なか》で
ピノキオ《ぴのきお》が
めぐりあったのは、
なつかしい　ゼペット《ぜぺっと》じいさんでした。
ゼペット《ぜぺっと》じいさんは　ピノキオ《ぴのきお》を
さがしに　出《で》かけ、うみで　サメ《さめ》に
のまれて　しまったのです。
「おとうさん！　ごめんなさい。」

二人《ふたり》は
サメ《さめ》が
あくびを
した
すきに　にげ出《だ》しました。
いえに　かえった　ピノキオ《ぴのきお》は、ま
い日《にち》　はたらいて、ゼペット《ぜぺっと》じいさん
を　たすけました。　ふと　気《き》がつくと、
天女《てんにょ》さまが　ほほえんで　います。

「ピ《ぴ》ノ《の》キ《き》オ《お》。いい 子《こ》に なった ごほうびを あげましょう。」
ピ《ぴ》ノ《の》キ《き》オ《お》は 本《ほん》ものの 人《にん》げんの 子《こ》どもに なったのです。ピ《ぴ》ノ《の》キ《き》オ《お》と おとうさんの ゼ《ぜ》ペ《ぺ》ッ《っ》ト《と》じいさんは、しっかりと だきあいました。